folio cadet ∎ premi

C000112893

**Le Petit Nicolas
d'après l'œuvre de René Goscinny
et Jean-Jacques Sempé**

Une série animée adaptée pour la télévision
par Matthieu Delaporte, Alexandre de la
Patellière et Cédric Pilot / Création graphique
de Pascal Valdès / Réalisée par Arnaud Bouron
D'après l'épisode « La Lampe de poche »
écrit par Olivier et Hervé Pérouze.
Le Petit Nicolas, les personnages,
les aventures et les éléments caractéristiques
de l'univers du Petit Nicolas sont une création
de René Goscinny et Jean-Jacques Sempé.
Droits de dépôt et d'exploitation de marques
liées à l'univers du Petit Nicolas réservés
à **IMAV EDITIONS**. Le Petit Nicolas® est une
marque verbale et figurative enregistrée.

Maquette : Clément Chassagnard
Le papier de cet ouvrage est composé
de fibres naturelles, renouvelables, recyclables
et fabriquées à partir de bois provenant
de forêts plantées et cultivées expressément
pour la fabrication de la pâte à papier.
Loi n° 49-956 du 16 juillet 1949 sur les
publications destinées à la jeunesse
ISBN : 978-2-07-064492-6
N° d'édition : 364663
Premier dépôt légal : février 2012
Dépôt légal : décembre 2019
Imprimé en France par Estimprim

PEFC
10-31-1093

Certifié PEFC
pefc-france.org

# Le Petit Nicolas

## Même pas peur !

GALLIMARD JEUNESSE

# Le Petit Nicolas
## et ses copains

Maman  Papa

Nicolas  Alceste  Clotaire  Eudes

La maîtresse  Le Bouillon

Louisette  Marie-Edwige  Geoffroy  Agnan

Aujourd'hui, Nicolas a donné rendez-vous à ses copains au terrain vague.

– Regardez! dit-il en brandissant un billet de banque. Mes parents me l'ont donné parce que j'ai eu la meilleure note en histoire.

– Wouah! souffle Alceste. Qu'est-ce que tu vas en faire?

– Je ne sais pas, répond Nicolas.

– On n'a qu'à s'acheter des tas de tablettes de chocolat ! propose Alceste.

Aussitôt, les copains filent vers la boulangerie. Mais, en passant devant une boutique, Nicolas aperçoit dans la vitrine une magnifique lampe de poche.

– J'ai changé d'avis ! C'est ça que je veux !

– Mais ça ne sert à rien d'avoir ça! proteste Clotaire.

– Espèce d'andouille! dit Nicolas. Avec une lampe de poche, on peut jouer au détective!

Les copains n'ont pas l'air convaincus.

– Il est nul, ton jeu! lâche Clotaire.

– Venez les gars, on retourne au terrain vague, décide Eudes.

Quand Nicolas ressort de la boutique avec sa lampe de poche, il croise sa voisine, Marie-Edwige.

– T'as vu ce que je viens d'acheter?

– Bah... C'est juste une lampe de poche! pouffe la fillette.

– Tu rigoles? s'énerve Nicolas. C'est mieux que ça: grâce à elle, on n'a jamais peur du noir!

– Pffff... souffle Marie-Edwige. Pas sûr !

Nicolas est furieux. Personne ne le comprend aujourd'hui. « Je vais leur montrer de quoi je suis capable ! » se dit-il.

– Très bien, annonce-t-il. Pour te le prouver, je viendrai sous ta fenêtre à minuit et je te ferai des signaux avec ma lampe.

– Même pas cap' ! dit Marie-Edwige.

– Moi, pas cap' ? Tu vas voir ! lance Nicolas.

La nuit est tombée. Dans son lit, Nicolas surveille les aiguilles du réveil.

« C'est l'heure ! »

Il allume sa lampe de poche et se glisse dans le couloir. Il fait noir, Nicolas n'est pas très rassuré. Il marche vers les escaliers quand soudain... CLAC !

« Qu'est-ce que c'était ? »

Le bruit vient du bureau de son père...

Nicolas entrouvre la porte de la pièce et braque sa lampe vers l'intérieur.

« Ouf ! C'est juste la fenêtre qui est mal fermée ! »

Il repart et descend les escaliers à pas de loup. CRAC, CRAC, fait le parquet sous ses pieds.

En bas, il avance vers la porte d'entrée, tend la main pour tourner la clé dans la serrure et... CLING !

« Zut ! J'ai fait tomber la clé ! »

À l'étage, dans son lit, le papa de Nicolas se redresse d'un coup.

– Qu'est-ce qui se passe ? dit la maman de Nicolas, d'une voix endormie.

– J'ai entendu un bruit !

– Tu as dû rêver... marmonne la maman de Nicolas, avant de se rendormir aussitôt.

Mais le papa de Nicolas, lui, a les yeux grands ouverts. Il préfère vérifier ce qui se passe. « On ne sait jamais : c'est peut-être un voleur... » se dit-il.

En bas, Nicolas a remis la clé dans la serrure. Il est en train d'ouvrir la porte lorsqu'il entend des pas sur le palier. La lumière s'allume à l'étage.

Vite ! Nicolas éteint sa lampe de poche. Il se glisse dehors et referme la porte derrière lui.

3

– Y'a quelqu'un ? demande le papa de Nicolas, du haut de l'escalier.

Pas de réponse.

Il descend au rez-de-chaussée, allume les lumières, fouille partout. Aucune trace de voleur...

Sur le perron, Nicolas se fait tout petit. Enfin, son papa décide de remonter se

coucher. Mais, en passant dans le vesti-
bule, il se dit : « Tiens, la porte n'est pas
fermée ! »

CLIC, CLAC, il donne un tour de clé,
avant de regagner son lit.

Nicolas est tout seul dans le jardin. Et
la porte est fermée à clé : il ne peut plus
rentrer chez lui ! Il fait froid dehors et
tellement noir...

Prenant son courage à deux mains, Nicolas traverse le jardin jusqu'à la clôture. Juste à côté, se dresse la maison de Marie-Edwige. Nicolas dirige le faisceau de sa lampe vers la fenêtre de sa voisine.

Il fait un signal. Puis deux. Puis trois. Rien ne se passe.

« Marie-Edwige doit dormir à poings fermés, se dit Nicolas. Comment faire pour la réveiller ? »

Il ramasse un caillou par terre et vise la fenêtre.

« Zut, loupé ! »

Le caillou rebondit sur la façade de la maison et tombe sur le toit du garage.

POC, POC, POC !

Dans son lit, le papa de Nicolas se relève d'un bond.

– Alors là, je suis sûr qu'il y a quelqu'un ! Il court vers la fenêtre.

– Chérie, j'ai vu de la lumière dans le jardin, crie-t-il. Il y a des voleurs !

Mais la maman de Nicolas dort à poings fermés...

Le papa de Nicolas descend dans l'entrée. Il soulève le combiné du téléphone et compose un numéro :

– Allô, police ?

Pendant ce temps, Nicolas continue à lancer des cailloux vers la fenêtre de Marie-Edwige.

La lumière de la chambre finit par s'allumer, et Marie-Edwige apparaît à la fenêtre.

– Qu'est-ce que tu fais là ? dit la fillette.

– Ben... et notre pari alors ? répond Nicolas.

– Ah oui ! C'est vrai... Bon, bonne nuit !

Marie-Edwige referme la fenêtre et éteint sa lumière.

« C'est pas juste ! se dit Nicolas. D'abord, elle oublie notre pari. Ensuite, elle ne me dit même pas bravo ! »

Pour se venger, il lance vers la fenêtre une pleine poignée de graviers.

La lumière de la chambre se rallume.

– D'accord, tu es très courageux. Maintenant, laisse-moi dormir ! dit la fillette.

– Attends ! Je suis enfermé dehors !
s'écrie Nicolas. Il y a une échelle dans le
jardin. Si tu viens m'aider à la porter, je
pourrai passer par la fenêtre du bureau
de mon père.

Les enfants parviennent à caler l'échelle
contre le mur de la maison de Nicolas.

Mais, tout à coup, la lumière de la lampe
de poche s'éteint.

– Zut, y'a plus de pile !

Au même moment, la porte de la maison s'ouvre.

– Vite, cachons-nous ! souffle Nicolas.

Il entraîne la fillette derrière un arbre.

– Je sais que vous êtes là ! crie le papa de Nicolas.

Il s'avance sur le perron, un fusil dans les mains.

– Je vous préviens, j'ai été champion de tir dans ma jeunesse !

Marie-Edwige est terrorisée.

Le papa de Nicolas s'approche de l'arbre. Il arrive presque au but quand... FUIIIIT !

Un puissant coup de sifflet retentit et une lumière aveuglante inonde le jardin.

– Police ! On ne bouge plus ! fait une grosse voix.

Le papa de Nicolas lève les mains en l'air.

– C'est pas moi, le voleur ! Ils sont là, derrière l'arbre...

Le faisceau de la lampe du policier se pose alors sur les deux enfants.

– On n'est pas des voleurs... C'est mon père qui m'a enfermé dehors ! crie Nicolas.

Le policier fronce les sourcils :

– Vous n'avez pas honte, monsieur ?

Le papa de Nicolas est tellement surpris qu'il appuie sur la détente de son fusil sans le faire exprès. Ça fait BZING ! Et une grosse flèche en caoutchouc atterrit au milieu du front du policier.

– Euh... désolé, dit le papa de Nicolas.
J'avais pris le fusil en plastique de mon
fils, au cas où.

Le policier le regarde et marmonne :
– Il est complètement zinzin, celui-là !

Le lendemain, à l'école, Nicolas raconte son aventure aux copains. Mais Eudes ne le croit pas.

– Arrête tes salades, espèce de menteur !

– Demande à Marie-Edwige si tu ne me crois pas ! riposte Nicolas.

Rufus accourt avec son sifflet : FUIIIT !

– Hé ! Vous savez quoi, les gars ? La nuit dernière, mon père a arrêté Nicolas et

Marie-Edwige en croyant que c'étaient des voleurs !

Tous les yeux se tournent vers Nicolas.

– Alors c'est vrai, ton histoire ! dit Clotaire. Eh ben ! Mon vieux, t'es drôlement courageux de te balader la nuit, dans le noir.

Nicolas bombe le torse. Tous ses copains l'admirent à présent.

– C'est grâce à ma lampe de poche, explique-t-il. Elle est terrible !

Puis il ajoute d'une voix triste :

– Le problème, c'est que mon père n'était pas trop content hier soir. Alors il ne veut plus la voir à la maison.

– Ah bon ? dit Rufus. Écoute, j'ai une proposition à te faire...

Le soir venu, Nicolas et ses parents dînent dans la cuisine quand... CLAC ! Tout devient noir.

– Oh non... soupire la maman de Nicolas. Les plombs ont sauté.

Le papa de Nicolas se tourne vers son fils.

– Donne-moi ta lampe de poche. Au moins, elle sera utile à quelque chose.

– Ben... je ne l'ai plus, Papa. Comme tu ne voulais plus la voir, je l'ai échangée contre le sifflet de Rufus.

Nicolas sort le sifflet de sa poche et demande, tout réjoui :

– J'ai bien fait, hein, Papa ? FUIIIIT ! FUIIIIIIIT !

Son père se bouche les oreilles. Nicolas s'étonne :

– Tu ne le trouves pas chouette, mon sifflet ? Pourtant, il marche très bien ! FUIIIIIIIIIIIIT !

→ je lis tout seul

Pour les jeunes apprentis lecteurs
Niveau 2

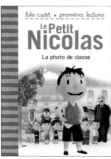

n° 1 *La photo de classe*

n° 3 *Les filles, c'est
drôlement compliqué!*

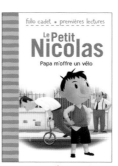

n° 4 *Papa m'offre un vélo*

Retrouve le Petit Nicolas sur le site www.petitnicolas.com